版权合同登记号：图字：30–2021–017 号

图书在版编目（CIP）数据

咕噜咕噜！沉下去 / （韩）任友珍文；（韩）尹真铉
绘；徐刘硕译 . —— 海口：海南出版社，2021.7
　（小小科学家系列）
　ISBN 978-7-5443-9978-4

　Ⅰ . ①咕… Ⅱ . ①任… ②尹… ③徐… Ⅲ . ①浮力 –
儿童读物 Ⅳ . ① O351.1–49

中国版本图书馆 CIP 数据核字 (2021) 第 094201 号

咕噜咕噜！沉下去
GULU GULU! CHEN XIAQU

作　　者：［韩］任友珍		北京地址：北京市朝阳区黄厂路 3 号院 7 号楼 102 室		
绘　　者：［韩］尹真铉		印刷装订：北京雅图新世纪印刷科技有限公司		
译　　者：徐刘硕		电　　话：0898–66812392		
出 品 人：王景霞　谭丽琳		010–87336670		
监　　制：冉子健		邮　　箱：hnbook@263.net		
责任编辑：张　雪		版　　次：2021 年 7 月第 1 版		
策划编辑：高婷婷		印　　次：2021 年 7 月第 1 次印刷		
责任印制：杨　程		开　　本：787mm×1 092mm　1/12		
读者服务：唐雪飞		印　　张：3		
出版发行：海南出版社		字　　数：37.5 千字		
总社地址：海口市金盘开发区建设三横路 2 号		书　　号：ISBN 978-7-5443-9978-4		
邮　　编：570216		定　　价：49.80 元		

咕噜咕噜！沉下去

［韩］任友珍 文　　［韩］尹真铉 绘

徐刘硕 译

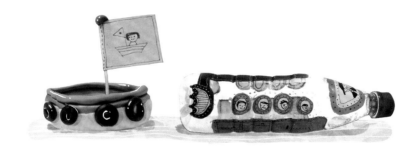

海南出版社
·海口·

哇哦！
大海啊，大海！

"哇，大海！"
微笑一到海边，
就第一个跑向大海。
微笑真的非常喜欢大海。

微笑带来了很特别的东西——
搭建沙丘城堡的游戏工具套装，
还有可以揉来揉去的橡皮泥。
海边真的有很多好玩儿的呀！

微笑拿着小铲子噗噗地挖沙子，
诺力也跑过来噗噗地挖沙子。
"挖得深深的吧！"
"挖得大大的吧！"
不知不觉，微笑和诺力挖好了一个大大的水坑。

橡皮泥船
漂浮

微笑用橡皮泥做了一艘宽大的橡皮泥船。

"呜哇，橡皮泥船浮起来了！"

塑料瓶船
漂浮

诺力的空塑料瓶在水中也浮起来了。

"哇，塑料瓶船也浮起来了！"

"把你的橡皮泥船团成球，
看看会怎么样？"
微笑把橡皮泥船团成了一个橡皮泥球，
然后橡皮泥球咕噜噜沉到了水底。
"嘿嘿，橡皮泥船浮起来，
橡皮泥球咕噜噜沉底啦！"

橡皮泥球
咕噜噜

诺力把塑料瓶装满水，
变重的塑料瓶船也咕噜噜往下沉。
"嘻嘻，空塑料瓶船浮起来，
沉甸甸的塑料瓶船咕噜噜沉底啦！"
"塑料瓶变身成潜水艇啦！"

塑料瓶船
咕噜噜

"水上漂的是什么呀？"

诺力站起身左看看，右看看。

"拿到啦，原来是漏气的球！"

诺力好像发现了宝藏一样开心地蹦蹦跳跳。

"噗呜，噗呜。"

诺力鼓起腮帮吹气，把脸憋得通红。

球又变得圆鼓鼓的啦！

"微笑啊，看好了。"

诺力拿着球，一下子扔向大海。

充满空气就能漂浮
在水面上

圆鼓鼓的球一跳一跳地漂浮在水面上。

像甜甜圈一样的游泳圈也晃悠悠地浮在水面上。

"球里充满空气，游泳圈里也充满空气。

充满空气的话就能漂浮在水面上！"

微笑开心地唱起歌来。

微笑 漂浮

"我们的身体也能在水面上浮起来吗？"
微笑和诺力深深地吸了一口气，舒展开身体。
"呜哇！我们的身体也浮起来了。"

诺力 漂浮

这次是把身体蜷缩起来。

微笑
咕噜噜

身体就像橡皮泥球一样咕噜噜

像沉甸甸的塑料瓶一样咕噜噜地沉到了水底。

诺力
咕噜噜

21

海面上漂浮

"我想骑着海豚在海上漂浮。"

"我想潜入海底去抓海星。"

时间不知不觉就过去了，微笑和诺力玩得非常开心。

咕噜噜潜到水底

回家的路上，
诺力还在兴奋地大声说：
"下次我要带着恐龙游泳圈来，还要借给你玩。"
"好呀，真棒。"
微笑一想到下次还和诺力来玩，已经开始期待了。
"大海，我们下次见！"

为什么会浮起来呢?

大家都知道,船能在海面上漂浮,热气球可以飞向天空。但是你知道它们全都是靠浮力的帮助吗?那么,浮力是什么?浮力又是怎样产生的呢?让我们来详细了解一下。

浮力是什么?

浸在液体或者气体里的物体会受到液体或气体竖直向上托起的作用力,这种力就叫作浮力。船之所以能在水中漂浮,是因为重力和浮力相等。换句话说,就是从上往下压的力量和从下往上推的力量是相等的,于是船就漂浮在水面上了。

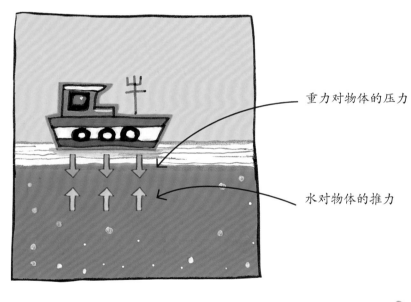

重力对物体的压力

水对物体的推力

什么时候浮力大呢？

物体的底部面积越大，浮力就会越大；物体越比水轻，浮力就越比重力大，物体就越容易浮起来。

橡皮泥

把它一点一点揪成小块放进水里时，它就会沉下去。但是如果把它展开，铺成宽片放在水中，底面积增大了，浮力就变大了，它就会漂浮起来。

塑料瓶

把充满空气的塑料瓶放入水中时，它会漂浮在水面上，这是因为塑料瓶里的空气比水更轻。但是如果把塑料瓶里灌满水，塑料瓶变重后就会沉到水底啦！

潜水艇

可以漂浮在水上，也可以沉到水底。如果把潜水艇的水罐里蓄满水，潜水艇就会变重下沉到水底。相反，如果把水排出蓄入空气，潜水艇就会变轻，浮到水面啦！

27

是比水重，还是比水轻呢？

水、食用油、蜂蜜根据密度不同，会分出不同的层次。让我们来通过简单有趣的小实验来验证这个原理吧。

准备

有颜色的水　　带盖的透明玻璃瓶　　食用油　　蜂蜜

制作过程

① 准备好带盖的透明玻璃瓶、有颜色的水、食用油和蜂蜜。

② 把食用油、有颜色的水和蜂蜜倒入玻璃瓶中，盖上盖子后静置。

食用油

水

蜂蜜

软木塞（油层）

塑料块（水层）

葡萄粒（蜂蜜层）

玻璃珠（瓶底）

玻璃瓶里分别出现了哪些不同的分层呢？

把玻璃瓶静置一会儿后，你会发现，油在水层之上，蜂蜜在水层之下，它们分别形成了不同的层次。比水密度更大的蜂蜜更重，所以会沉到水下；密度更小的油更轻，所以会漂浮在水面上。

这时，当我们把软木塞、葡萄粒、塑料块和玻璃珠扔进这个水、油和蜂蜜分层的瓶子里，就可以观察到更有趣的现象。

一起做快乐科学问答

问题一　物体的底面积越大，越容易在水上漂浮。
橡皮泥要捏成哪种形状才能更好地漂浮在水面上？请在下图中进行选择。

 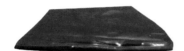

问题二　物体越轻，越容易在水上漂浮。
下面的塑料瓶中，哪个塑料瓶能漂浮在水上？请在下图中进行选择。

正确答案：问题一 ① 问题二 ④